22/9/1994

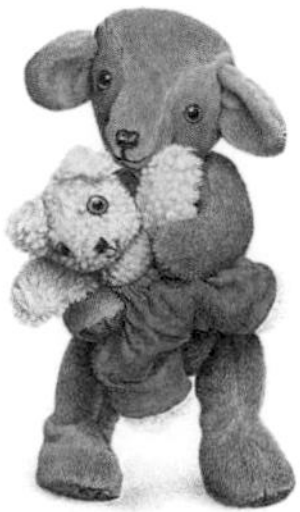

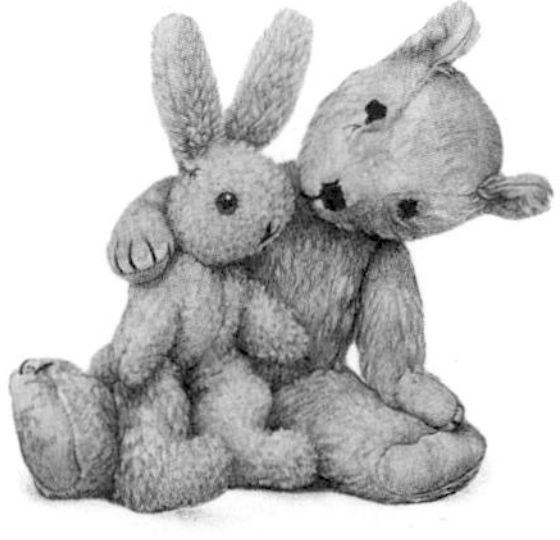

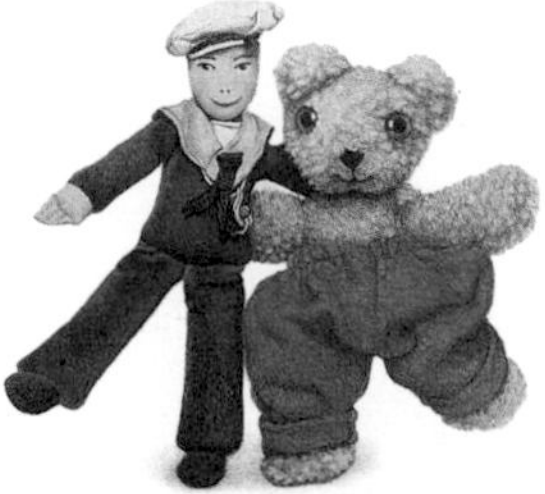

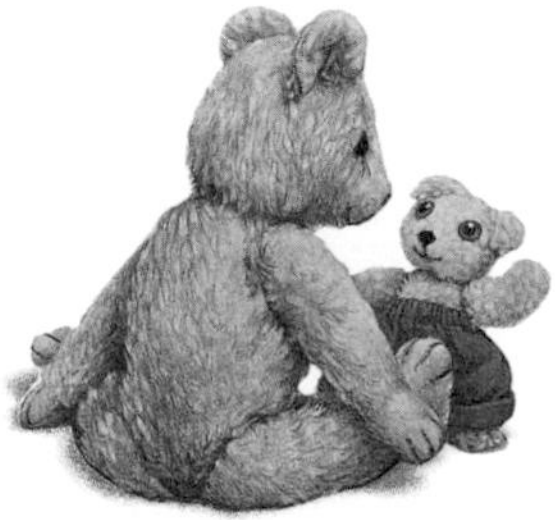

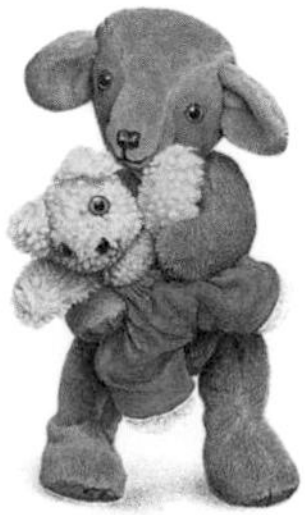

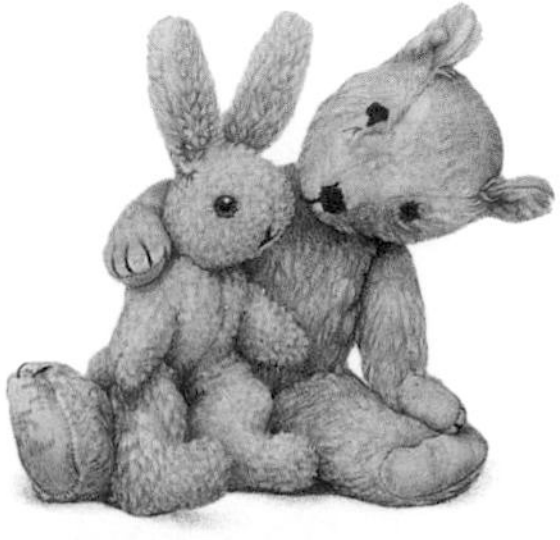

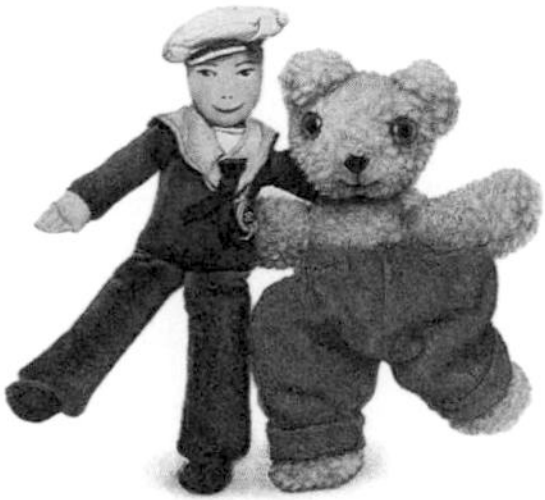

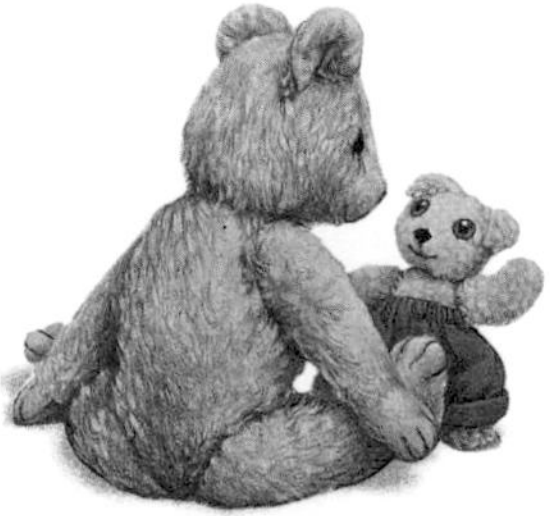

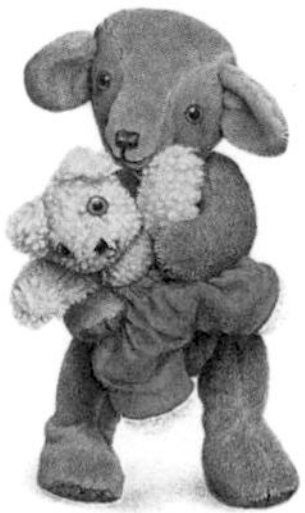

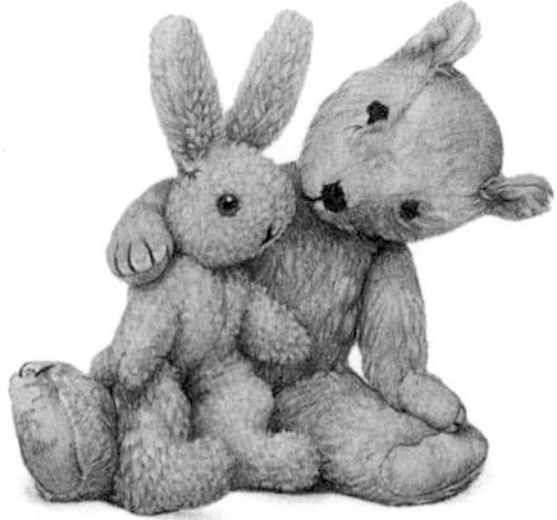

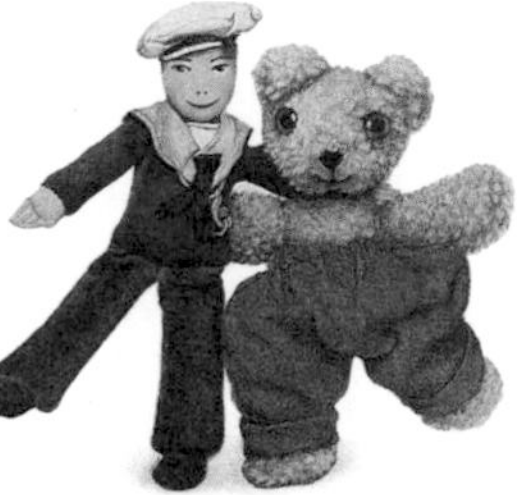

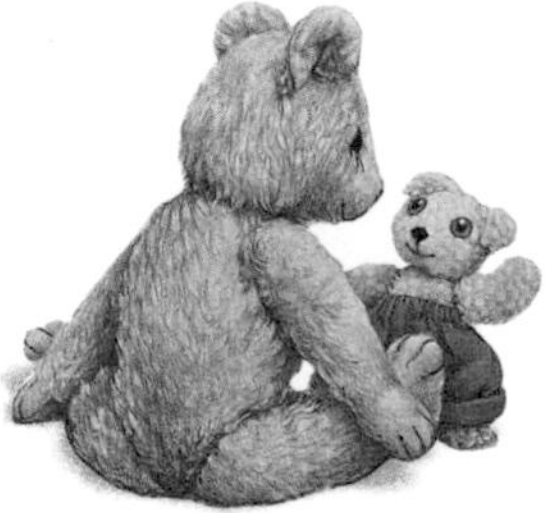

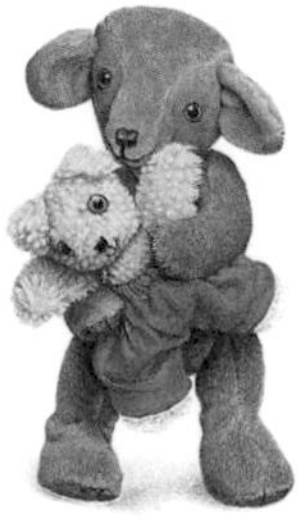

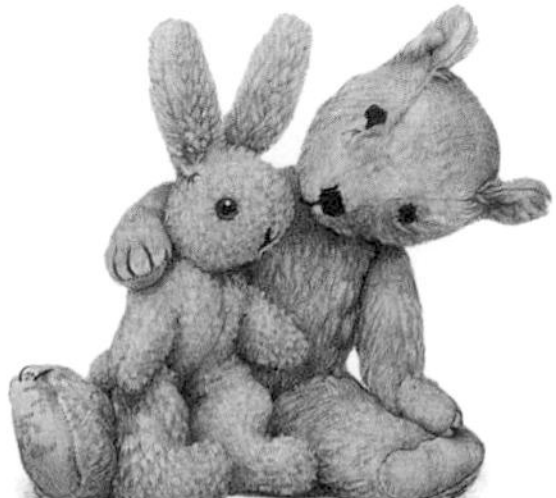

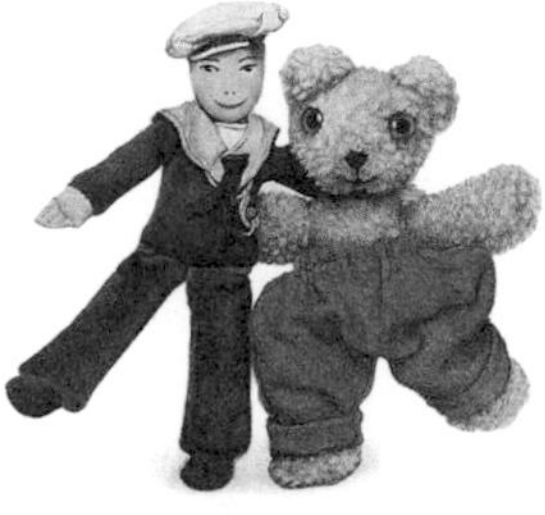